nickelodeon

猫狗大战

美国尼克儿童频道 / 著
安东尼 / 译

天 地 出 版 社 | TIANDI PRESS

对农夫由美武术馆的学生来说，今天是一个特别的日子。汪汪队、古威市长和她的咕咕鸡都来到了这里，一同见证功夫黄带段位的诞生。

“同学们，你们准备好了吗？”由美问道。狗狗们已经迫不及待地想展示自己的本领了。

狗狗们一个接一个地活动起来。灰灰舞长棍，毛毛打拳，天天踢飞腿，小砾做拉伸，路马也跃跃欲试。

阿奇宣布：“我将表……演……阿、阿嚏！对不起，我对猫咪有点过敏！”

原来，云雾谷的柔道猫咪队也来农夫由美的武术馆了。

哈丁格市长带领他的柔道猫咪队前来挑战，目的是证明他的猫咪比狗狗功夫更厉害。

“功夫狗狗训练有素！柔道猫咪多才多艺！但都比不上我的咕咕鸡！”古威市长说。

“咕咕咕！”咕咕鸡大叫着表示赞同，并立刻展示了一下自己的拳脚。

“我们不是来争谁更厉害的！”由美说，“我们的目的是让狗狗、猫咪、咕咕鸡和市长们展示自己最好的一面。”

这时，哈丁格市长鼓掌示意猫咪开始表演。只见柔道猫咪们有的高高跃起、有的舞动拳脚、有的滚起球来，还有一只猫咪表演高空走绳呢。

“我来告诉你功夫狗大师是怎么运用绳索的！哟吼！”毛毛刚说完就抓住绳索一跃而起。

这时，一只调皮的猫咪从背包里弹出一支机器爪猛地钩住了绳索，使劲摇晃。

“砰！”毛毛一下子飞了出去。

毛毛被重重地摔在了地上。

“你还好吗？”小砾关切地问。

“当然！一位功夫狗大师在摔倒时知道如何安全落地！”毛毛回答。

“下一项比试拳术格斗！”农夫由美说道。

随后，狗狗们和猫咪们来到了格斗场地。毛毛和一只穿蓝色衣服的猫咪互相鞠躬致意后，挑战正式开始。只见毛毛高高跃起，而猫咪则从背包里掏出一团毛线向毛毛掷去。

“哎呀！”毛毛大叫一声，他又一次摔在了地上，四只脚被线紧紧地缠住了。

“功夫狗？”哈丁格市长嘲笑道，“我看是摔跤狗吧，哈哈！”

颁发段位的时间到了，由美给了每只狗狗一条金黄色的腰带，她为功夫狗狗们的付出而自豪，她说：“你们的刻苦训练和武术精神得到了大师们的肯定！”

而猫咪们则什么也没有得到。

“哈丁格市长，”由美说，“由于你的猫咪们还不懂得怎样控制自己和工具，所以我不能授予他们黄带了。”

“汪汪队万岁！”莱德和狗狗们欢呼道。

nickelodeon

小兔子，再见

这天，天气晴朗，波特先生来到由美的农场挑选胡萝卜。可是发生了一件怪事——地里的胡萝卜都不见了！

“胡萝卜呢？”波特先生大叫道。

由美想：胡萝卜一定是被小兔子吃光了。

看来，狗狗们又有工作要做啦！

莱德让狗狗们迅速到塔台集合，并把小兔子惹麻烦的事告诉了大家。

“我们必须把小兔子转移到一个安全的地方，让它们不再偷吃由美的胡萝卜。小砾，我需要你用挖掘机帮我们找到兔子的地道！”

“出发啦！”小砾喊道。

“阿奇，你负责把兔子赶到一个地方。”莱德说道。

“阿奇收到！”警犬严肃地答道。

莱德、小砾和阿奇迅速赶到由美的农场。

小砾立刻开始挖兔子的地道。“我发现了一个‘情况’！”不一会儿他又喊道，“实际上，是两个‘情况’！”

莱德打算把这两只兔子送离农场，于是他用平板电脑呼叫灰灰和天天：“灰灰，你能找一些旧的狗笼，让天天把它们送过来吗？”

“旧物别丢掉，还有大用处！”灰灰答道。

“我会在小兔子尾巴摇晃两下的时间内赶到！”天天补充道。

天天带着狗笼来到了农场，阿奇开始把兔子赶进笼子里面。

阿奇用扩音器喊道：“小家伙们！我们给你们准备了柔软舒适的窝，你们很快就到新家了。”

“每个笼子里面都有非常可口的点心哟！”天天说道。

小兔子们开心地跳进了笼子，天天驾驶着直升机把它们送到了一块新的田野上。

但是忙碌的一天并未到此结束！在波特先生搬运蔬菜回店里的路上，他在箱子里又发现了一些“毛茸茸的”“长着尾巴”的小家伙。

狗狗们又来新任务了。

队员们迅速赶到波特先生的杂货店。

“能给我一些美味的胡萝卜蛋糕吗，波特先生？”莱德问道。他已经想好要怎样把小兔子给引出来了。

莱德把胡萝卜蛋糕放在地上，不一会儿，小兔子们蹦蹦跳跳地过来了。“现在，我们要用到你的网子，阿奇。”

阿奇用网迅速地把小兔子们罩住，莱德小心翼翼地把它们捧起来。

天天再次把这些小兔子送到了它们的新家。莱德刚一打开笼子，小兔子们就开心地向草地冲去了，它们在花草丛里欢快地玩耍起来。

“小兔子，再见！”天天挥手道，“我会想念你们的！”

当天天回到塔台时，她惊奇地发现有一只小兔子悄悄地跟着她回来了！

“我们能留下它吗？”天天问。

“当然啦！”莱德回答。

“太棒了！”天天欢呼着，其他狗狗也开心地欢迎着这个新成员。

图书在版编目(CIP)数据

汪汪队立大功儿童安全救援故事书. 猫狗大战 / 美国尼克儿童频道著 ; 安东尼译. — 成都 : 天地出版社, 2017.3

ISBN 978-7-5455-2369-0

Ⅰ. ①汪… Ⅱ. ①美… ②安… Ⅲ. ①儿童故事 – 图画故事 – 美国 – 现代 Ⅳ. ①I712.85

中国版本图书馆CIP数据核字(2016)第283535号

出品策划：文轩出品

网　址：http://www.huaxiabooks.com

著作权登记号 图字：21-2017-04-13号

猫狗大战

出 品 人	杨　政	总 经 销	新华文轩出版传媒股份有限公司
策划编辑	李红珍　戴迪玲	印　刷	北京瑞禾彩色印刷有限公司
责任编辑	陈文龙　夏　杰	开　本	889 × 1194　1/20
特邀编辑	张　剑	印　张	1.6
版权编辑	郭　淼	字　数	10 千字
装帧设计	谭启平	版　次	2017 年 3 月第 1 版
责任印制	董建臣	印　次	2017 年 6 月第 3 次印刷
出版发行	天地出版社	书　号	ISBN 978-7-5455-2369-0
	（成都市槐树街 2 号 邮政编码：610014）	定　价	12.80 元
网　址	http://www.tiandiph.com		